まるで本物!? あそべる工作
とびだす海賊・モンスターパニックをつくろう

いしかわ☆まりこ

汐文社

もくじ

はじめに ··· 3

ドキドキワクワク　**とびだす海賊** ············ 4
　用意するもの ·· 6
　つくろう！ ·· 8
　できあがり！ ······································· 14
道具のおはなし　**カッターの使い方** ······ 15
たたきまくれ！　**モンスターパニック** ··· 16
　用意するもの ······································ 18
　つくろう！ ·· 20
　できあがり！ ······································ 24
道具のおはなし　**はさみの使い方** ·········· 25

キラキラザクザク　**ざいほうはっけん**
　金かい ·· 26
　コイン ·· 27
　たからばこ ··· 28
　王かん／ゴールドカップ ···················· 30
　ゆびわ／首かざり ······························· 31

さわらずに走る！　**ふしぎな工作**
　マグネット　ラジコンカー ················· 32

すぐあそびたい！　**早くできるかんたん工作！**
　なんどでもクラッカー ························ 34
　かざれる！　ジグソーパズル ·············· 36

型紙 ··· 38

はじめに

この本では、まるで本物!? な工作を紹介するよ。
かんたんなものから少しふくざつなものまでのっているから、自分がいまつくりたいものを選んでね。
まずは、材料をあつめよう！ 身近にあるものや、文房具屋さん、ホームセンターや100円ショップで手に入るものでつくれるよ。
自分がつくりたいものを思いうかべて、くふうしながら、ほしい作品をめざしてみよう！
カッターやはさみの使い方のページも見ながら、大人といっしょに気をつけながら進めてね。
自分でつくったら、世界にひとつの作品のできあがり！
つくりたい気持ちを大切に、はじめよう！
みんなの工作タイムが楽しくありますように♪

いしかわ☆まりこ

とびだす海賊 ▶▶▶

用意するもの

材料

うら側にますめがあるよ

大ダコの外側の部分はカラー工作用紙（うら側がますめ）を使っているよ。たるは工作用紙にカラースプレーで色をつけたよ

 カラー工作用紙
 工作用紙
 カラースプレー

 輪ゴム
 おりがみ
 ペットボトルのふた
 まるシール
 画用紙・色画用紙

カラー工作用紙がないときは……

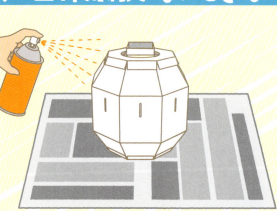

カラースプレーをつかって色づけ！水性タイプのカラースプレーを選んでね

少しずついろんな方向からスプレーしてまんべんなくぬろう。下の方はかわいてからひっくりかえしてスプレーしてね

あとは **つくりたい気持ち！**

新聞紙などの大きな紙やブルーシートなどをしいて、外でスプレーしてね！

道具

はさみ

カッター

定規

えんぴつ

消しゴム

のり

セロハンテープ

両面テープ

強力タイプ

木工用

いろいろなものに使えるタイプ

接着剤

ペンいろいろ

カッターマット

カッターを使うときは必ず下にしいてね

知っておくとべんりなコツ

型紙と同じに切るコツ！

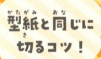

型紙

まわりをざっくり切りはなしてから切ると切りやすい

まるい形は紙の方をまわしながら切るといいよ

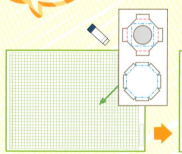

工作用紙に型紙をコピーしたものをスティックのりではり、型紙といっしょに切りぬくとかんたん！

工作用紙をはりあわせるコツ

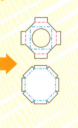

工作用紙をはっても、すぐはがれてしまう…??　そんなときは、かわくまでクリップなどでおさえておくとうまく止まるよ

とびだす海賊 ▶▶▶

つくろう!

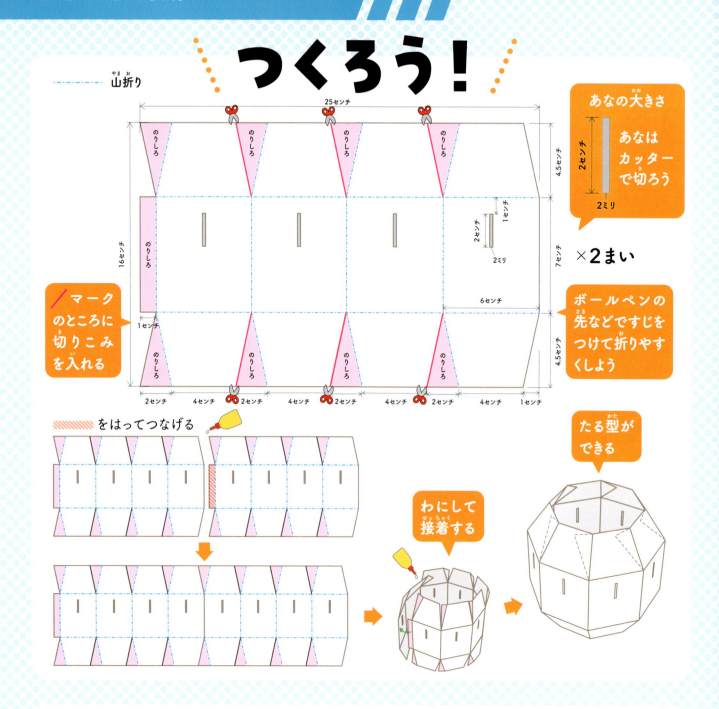

① 図の形を工作用紙で2まいつくる。このとき細長いあなをカッターであけ、──── に切りこみを入れておく。▩▩▩ ののりしろを内側にはって2まいをつなげる。─・─・─ を山折りにしてわにして、まん中ののりしろを内側にはる。上下の三角ののりしろ部分を折って内側にはってつなげ、たるの形をつくる。のりしろは、ずれないようにきっちりはるのが大事。

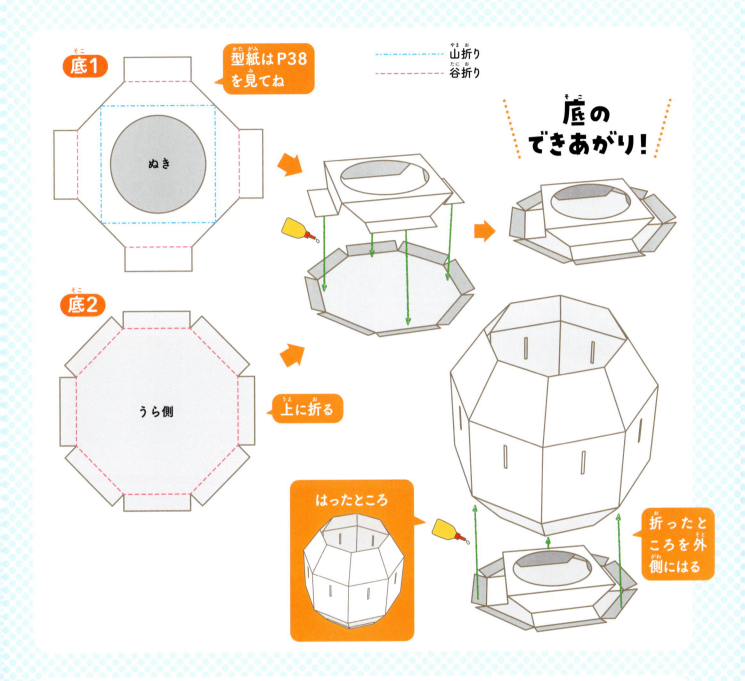

2. P38の 底1・底2 の型紙どおりに工作用紙を切る。切るコツはP7を見てね。──── を山折り、------ を谷折りにして図のような形にし、底1 を 底2 にかさねてはる。❶でつくったたるの底にはめこんで接着する。

とびだす海賊

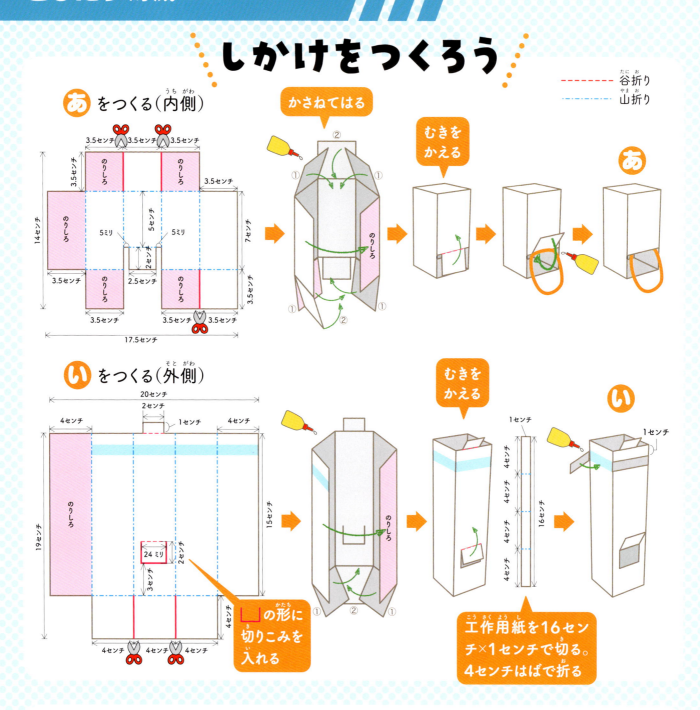

③ 図のように工作用紙で あ、い をそれぞれ切りだす。—— に切りこみを入れる。折りながらのりしろにはじの一面をかさねてはり、切ったところ（あ は上下3まい、い は下3まい）を折りかさねてはりあわせる。あ は図のようにわゴムをはさんで内側に折りこむ。い は細い帯を切り、上から1センチのところにまく。

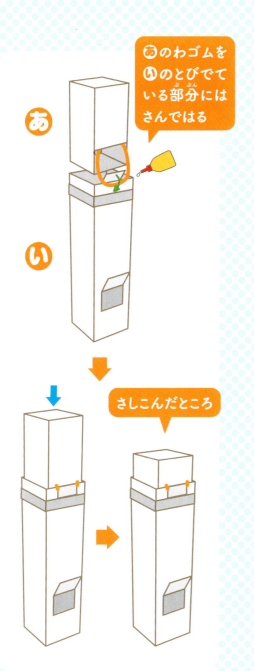

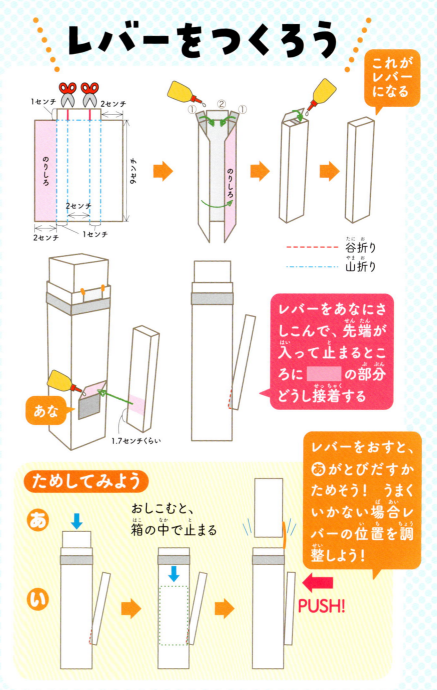

4 いの図の部分にあのわゴムをはさんで、折る。折ったところをはる。図のようにあを中にさしこむ。

5 図のように工作用紙を切る。——に切りこみを入れる。折りながらのりしろにはじの一面をかさねてはり、ひらたい四角いつつをつくる。切りこみを入れた上3まいを折りかさねてはる。4にさしこんではる。

とびだす海賊 ▶▶▶

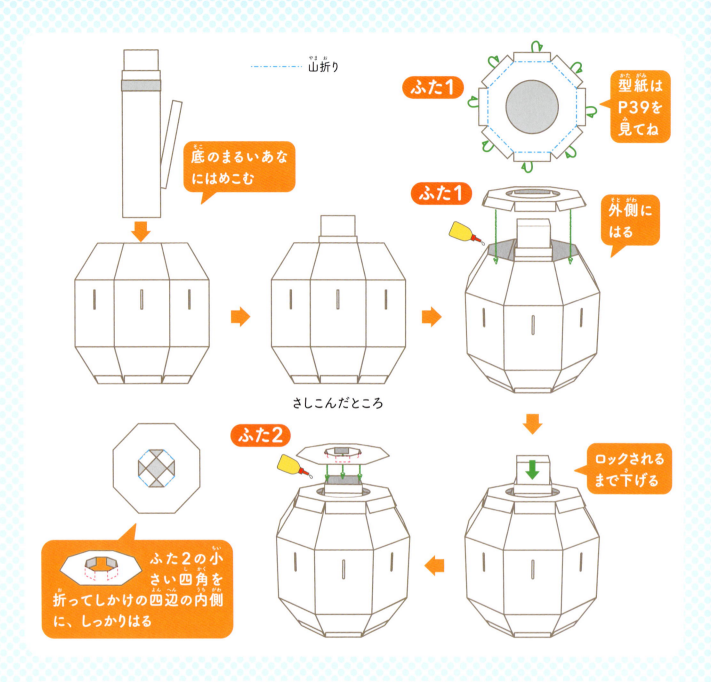

🫘 たる底にしかけをさしこみ、❷でつけた底のまるいあなにしかけをはめこむ。 ふた1 を型紙どおりに切り、まわりを折って上の部分にかぶせてはる。しかけをロックされるまでさげる。 ふた2 を型紙どおりに切り、中央の小さい四角の部分を折ってしかけの四辺の内がわにしっかりはる。たるの色づけはこの段階でぬる（P6を見てね）。

人形、剣をつくろう

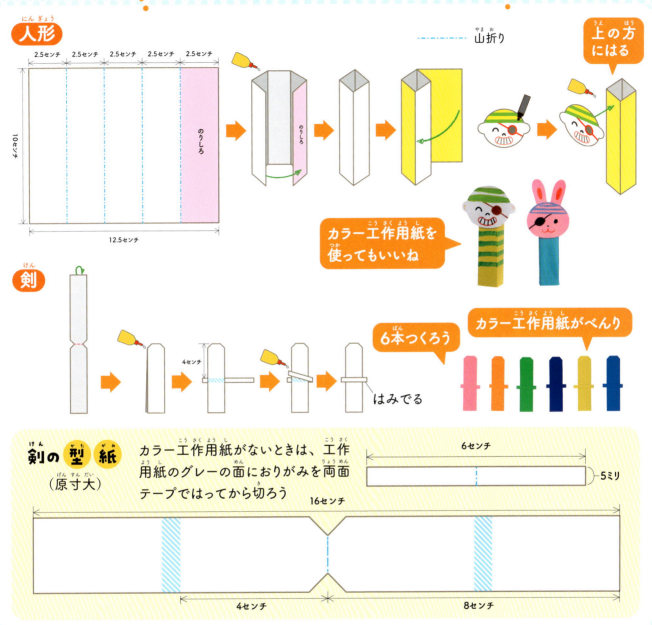

7 **人形をつくる** 工作用紙を図のように切る。折りながら、のりしろにはじの一面をかさねてはり、四角いつつをつくる。すきな色の色画用紙をまきつけてはる。画用紙で顔をつくりはる（型紙はP39）。

剣をつくる 工作用紙を上の型紙のとおりに切る。剣を半分に折り、はりあわせる。 部分に小さい方をかさねて、左右がはみでるようにはる。

とびだす海賊 ▶▶▶

道具のおはなし カッターの使い方

刃は1～2まい分出して使おう

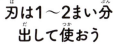

1～2まい

持ち方は**えんぴつを持つように**するよ。ふだん、えんぴつの持ち方がちがう人も、カッターはこの持ち方にしよう

大人といっしょに使うよ

こんな持ち方はあぶない！

切れなくなったら刃を折ろう

ここをはずせるものもあるよ

※ペンチなどでも折れるよ。折った刃をすてるときは地域の決まりにしたがってね

必ず**カッターマット**をしいて使うよ

定規を使うときは金属製または金属がはってある定規を使おう

手はカッターが通る線の上にはおかない!!

☆左利きの人は専用のカッターがあるよ

15

モンスターパニック ▶▶▶

用意するもの

材料

この本では
36センチ×26センチ×16センチ
48センチ×36センチ×14センチ
を使っているよ！これに近いサイズだとつくりやすいよ

モンスターが出入りする箱用（P22 ❹で使う）

16センチ / 26センチ / 36センチ

土台用（P23 ❺で使う）

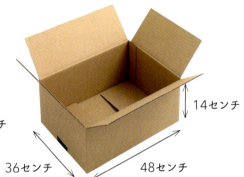

14センチ / 36センチ / 48センチ

ダンボール箱

☆ダンボールはいろいろな大きさや形があるよ。くみあわせてみよう

牛乳パック

ラップのしん
（かたい紙のしん）

ペットボトル
（500ミリリットル）

おりがみ

色画用紙

スポンジ

カラーガムテープ

ダンボールに紙をはるときは…

くしゃくしゃにする

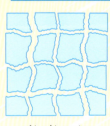
びりびりにする

紙をくしゃくしゃにしたり、びりびりにやぶいたものをはるのもこわいふんいきが出ておすすめ！ きれいにぴしっとはるのが苦手な人もやってみてね

☆モンスターが出入りする土台の上の面やあなのまわりはぼこぼこしないようにはってね。

カッター用の定規もあるよ

道具

はさみ

カッター

定規

えんぴつ

消しゴム

ガムテープ

セロハンテープ

両面テープ

強力タイプ

接着剤

いろいろなものに使えるタイプ

のり

液体、でんぷん、スティックのりなど使いわけよう!

ペンいろいろ

カッターマット

カッターを使うときは必ず下にしいてね

スポンジを紙につけるときは……

接着剤

☆スポンジをはりたいとき、接着剤を使おう。パッケージをよく見て、つけられる接着剤を選んでね

スポンジ

ここにはりたい

紙

はりたいところ両方にぬる

へらや厚紙でのばす

少しかわかす

はりあわせてすぐにおさえる。よくかわかす

19

モンスターパニック ▶▶▶

つくろう！

1. 牛乳パックのあけ口部分を全部ひらいて切りとる。牛乳パックを横長に半分に切りわける。底は半分に切らず、ぐるっと図のように切り、あ・いにわける。いにあを図のようにくみあわせてテープで止める。あの前の方を折ってひらく。スポンジを図のように切りわけ、スポンジの▒▒の面を牛乳パックの▒▒にそれぞれはる。

持つところをつくる

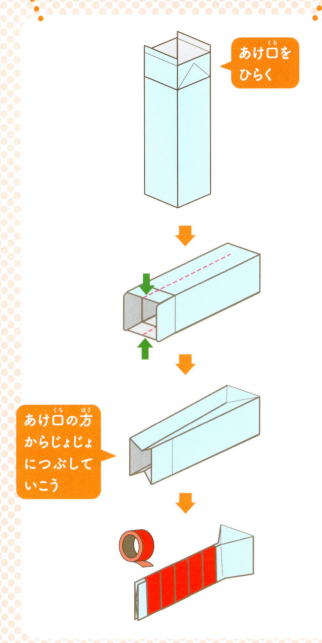

② 牛乳パックのあけ口をひらく。上下のまん中をぎゅっとおして、図の形につぶすように折りたたむ。ガムテープをぐるぐるまいて、ひらたくかためる。

モンスターとくっつける

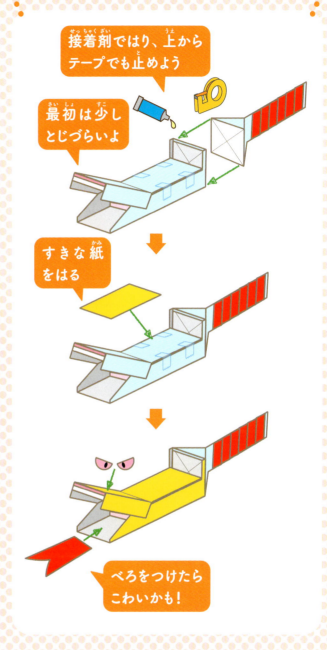

③ ①に②をしっかりつける。接着剤がかわいたら、モンスターのかざりつけをする。

モンスターパニック ▶▶▶

モンスターの館をつくろう

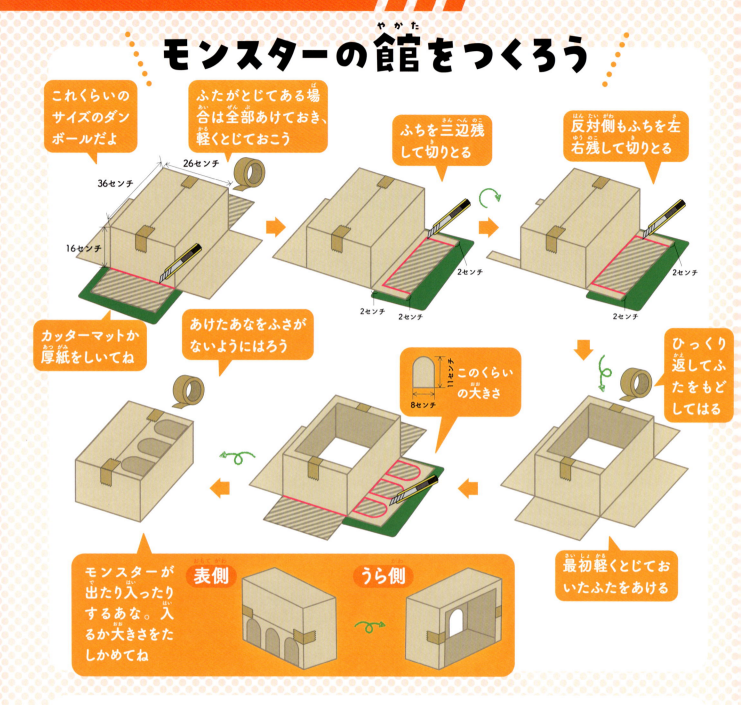

4. モンスターが出入りする箱をつくる。ダンボール箱のふたをひらき、図のようにおいて ▨ のふたを切りとる。残りのふたの ▨ 部分も切りとる。切りとったら、ひっくりかえしてふたをもどして両はじをはる。軽くとじていたふたをあけ、▨ のふたを切りとる。残りのふたの一面をアーチのかたちに切りとり、ふたをとじる。

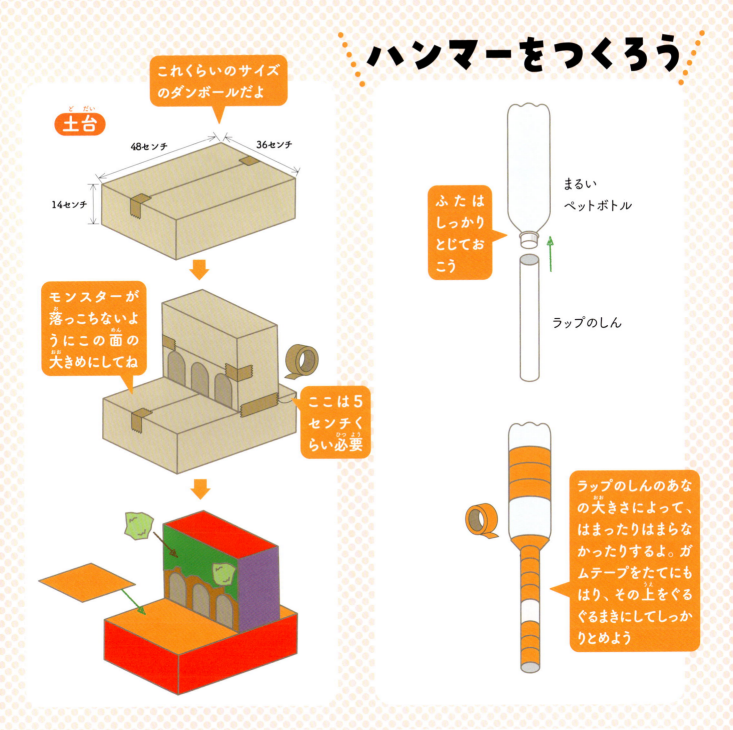

モンスターパニック ▶▶▶

できあがり！

モンスター1

すきなモンスターをつくって入れよう

モンスター2

布ガムテープをぐるぐるまいたよ

モンスター3

色画用紙をちぎってくしゃくしゃにしてはったよ

うしろから見たところ…

ハンマー
布ガムテープでしっかりつなごう

はる色画用紙の色や形でかわいくもこわくもできるよ！

あそびかた

動かす人

モンスターを動かす人、ハンマーをたたく人にわかれる

うら側

モンスターのおしすぎ、もどしすぎにご注意！

10秒など、時間を決めてあそぼう。動かす人、たたく人を交代しながらあそんでね

やられたー

道具のおはなし はさみの使い方

おすすめの持ち方を紹介するよ

持ち運ぶときや人にわたすときは、刃の方を持つ

上のあなには**親指**を入れる。ふたつのあなが同じサイズのはさみもあるよ

必ず、すわってつくえの上で使おう！

人差し指を外に出して、そえて持つのがおすすめ！なれると安定して使いやすいよ

小指は外に出してそえるといいよ。手が小さい人はあなに入れてもOKだよ

中指、くすり指は下のあなの中に入れる

細長い紙を切って練習！1回で切りとってみよう。指を切らないように紙を持つ手の位置に気をつけよう

☆左利きの人は専用のはさみがあるよ

まるを切ってみよう！はさみの位置はそのままで、紙を動かすよ。はさみを持つ手をグーパー、グーパーと動かして切り進めてね

ひじは体につけて紙を正面に持つ

たからばこ

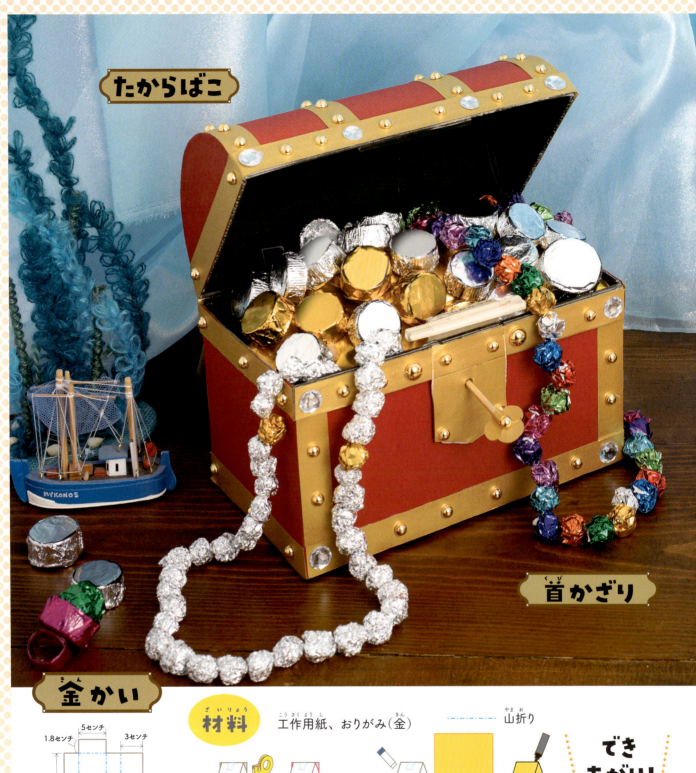

首かざり

金かい

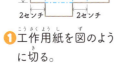

材料 工作用紙、おりがみ（金）　　------- 山折り

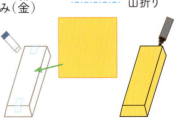

❶ 工作用紙を図のように切る。

❷ ❶の ------- を折って組み立てる。はみでたところ ── を切る。

❸ 全体に金のおりがみをはる。角やふちに黒いペンですじをかく。

できあがり！

キラキラザクザク ざいほうはっけん

- ゴールドカップ
- 王かん
- 金かい
- ゆびわ
- コイン

コイン

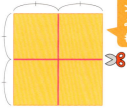

7.5センチ

7.5×7.5センチのおりがみをつかってもいいよ

材料 ペットボトルのふた、おりがみ（金、銀）

❶ 15×15センチのおりがみを四等分に切る。

❷ おりがみのうら面のまん中にペットボトルのふたをおいてくるむ。

うら

❸ ひっくりかえして、ふちに黒いペンですじをかく。

できあがり！

たからばこ

たからばこ

材料 ダンボール板、工作用紙、色画用紙（赤、黒、金）、わりばし、わゴム、デコレーション用シール

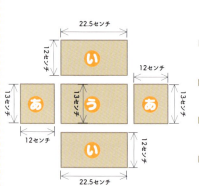

❶ ダンボール板を切る。あ2まい、い2まい、う1まいを用意する。

❷ ダンボール板と色画用紙を図のように切る。

❸ ❶で切ったダンボールを組み立て、接着剤でくっつける。外側全体に色画用紙をはる。

❹ ❷をそれぞれふちにはる。★のところはダンボール板の上に色画用紙を重ねてはる。

★はダンボール箱と色画用紙をかさねているよ

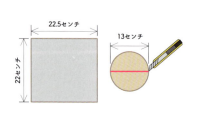

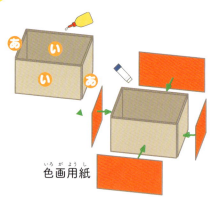

❺ 工作用紙を長方形に切る。ダンボールをまるく切り、半分に切ってかまぼこ型をつくる。

❻ ダンボール板と色画用紙を図のように切る。

❼ ❺の工作用紙をまげてダンボール板にそわせるようにする。外側全体に色画用紙をはる。はみでたところは切る。

❽ ❻をはる。★のところはダンボール板の上に色画用紙を重ねてはる。

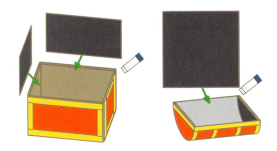
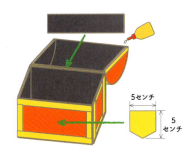

❾ ❹と❽の内側に黒い色画用紙をはる。

❿ 黒い色画用紙を細長く切り、❹と❽をつなぐようにしっかりはる。ダンボール板と色画用紙を図のようなかたちに切ってかさねてはる。

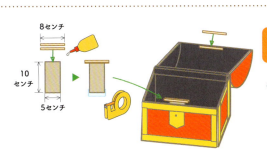

内側からもあながあいているよ

横から見たところ

⓫ くじり（先がとがっているもの）で❿でつけたダンボール板に穴をあけ、土台の箱にもかんつうしてあける。

⓬ 図のようにダンボール板にわりばしを2本はり、下だけにテープをつけて箱の内側にはる。ふたの内側にも1本はる（しめるときにひっかけるところ）。

⓭ 図のようにわゴムをとりつける。

できあがり！

かぎ

はさみの根元ではさんでぐりぐりまわして、切れ目をつけてから手で折るよ

できあがり！

⓮ デコレーションシールですきにかざる。

❶ わりばしを切る。色画用紙をすきなかたちに切ってわりばしをはさんではる。

ふたのわりばしどうしを引っかけてしめておく

あ そ び か た

OPEN

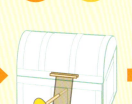

かぎをかぎあなにさしておすと、

中のしかけがおされて…

ふたがあくよ！

しめるときはかぎをぬいてね

ざいほう
- 王かん
- ゴールドカップ
- ゆびわ
- 首かざり

王かん

材料 工作用紙、おりがみ（金）15×15センチ　3〜4まい、カラーポリ袋

❶ 工作用紙を細長く切る。

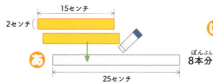

❷ あの8本分におりがみを切ってはる。

❸ いをわっかにする。

ホチキスのはりの──が外がわにくる

❹ いにあの2本を十字にかさねてホチキスでつける。

❺ ❹ではった間に2本つける。

❻ いにおりがみをはる。

まるめたおりがみ

❼ まるめたポリ袋をつめる。

できあがり！

ゴールドカップ

材料 ゼリーやプリンのカップ、乳酸菌飲料のあき容器、どんぶり容器（ミニ）、おりがみ（金）

ゼリーやプリンのカップ

❶ カップにペットボトルのふたが入る大きさのあなをあけ、ふたをさしこむ。

❷ どんぶり容器（ミニ）を下につける。

細く折って持ち手にする

❸ 金のおりがみを切って全体にはる。ペンですじをかく。

できあがり！

容器を上下逆にしたタイプ

ゆびわ

材料 ペットボトルのふた、ホイルおりがみ

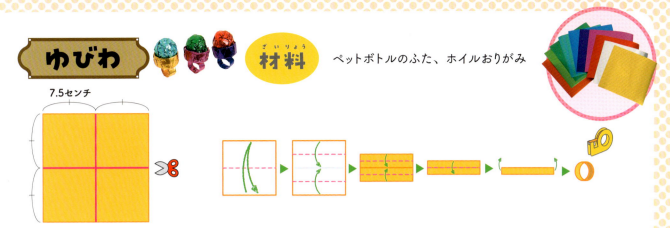

❶ 15×15センチのおりがみを四等分に切る。

❷ 図のように細長く折ってわっかにする。自分の指にあわせてみてね。

できあがり！

❸ おりがみのうら面のまん中にペットボトルのふたをおき、くるむ。

❹ まるめたおりがみを両面テープやわっかにしたテープで❸の中につける。

❺ ❹に❷をつける。

首かざり

材料 ホイルおりがみ、つまようじ、たこ糸、アルミホイル、おりがみ（金）

あらかじめ竹ぐしやくじりであなをあけておくといいよ

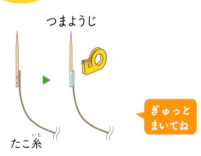

❶ ホイルおりがみを四等分に切り、まるめて玉をつくる。たくさん玉をつくろう（40〜50個）

❷ つまようじにたこ糸をそわせ、セロハンテープをまきつける。

ぎゅっとまいてね

❸ ❶の玉につまようじをさしてかんつうさせる。

できあがり！

❹ 玉をすきな色や順番でたこ糸に通す。すきな長さになったらしっかり結んであまりを切る。

10×10センチくらいに切ったアルミホイルとおりがみ（金）をまるめてつくったよ

さわらずに走る！ふしぎな工作

マグネット ラジコンカー

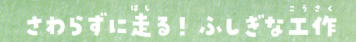

前から見ると
こんな感じ

ここにマグネットが
くっついているよ！

コントローラーを
車に近づけると
動く！

材料 ペットボトル(四角)、ポテトスナックのつつ型のあき容器のふた4まい、ストロー2本、竹ぐし2本、片ダンボール、ティッシュのあき箱、強力マグネット2こ、ペットボトルのふた、モール、色画用紙、まるシールなど

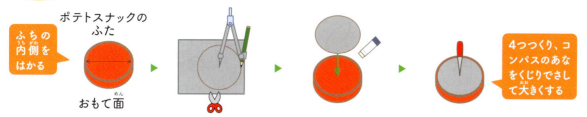

❶ふたのまるの直径をはかり、コンパスで同じ大きさのまるをかいて4つに切り、ふた4つにはる。

❷片ダンボールを4まいに切る。

❸竹ぐしにぐるぐるまきつけてテープでとめる。

❹❶のうら側(ふかさがある側)の中央に❸の竹ぐしのとんがりをさして、ダンボール部分に接着剤をつけ、固定する。車輪になる。

❺ペットボトルの三面に色画用紙をはる。

❻ストローを2本つける。

❼❹の車輪に竹ぐしをさして、接着剤で固定する。

❽ストローに❼を通して竹ぐしを切り、❹の車輪を接着する。

❾強力マグネットをつけ、かざりつけをする。

コントローラー

❶ティッシュのあき箱を半分に切って、図のようにはめこんでひとつの四角をつくる。色画用紙を全体にはる。

❷強力マグネットをつけかざりつけをする。ペットボトルのふたやシールを使ったよ。

すぐあそびたい！　早くできるかんたん工作（こうさく）！

なんどでも クラッカー

わゴムをひっぱってせーの

中（なか）には紙（かみ）ふぶき！入（い）れすぎ注意（ちゅうい）だよ

パーンッ

すぐあそびたい！早くできるかんたん工作！

かざれる！ジグソーパズル

がくぶちみたいにつくっておへやにかざろう！

材料 食品トレー 同じサイズ2まい、おりがみ

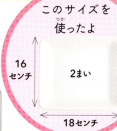
このサイズを使ったよ
16センチ 2まい
18センチ

クレヨン、油性ペンなど、スチロールでもかけるものをえらんでね

❶ 2まいのトレーのうち1まいのひらたい部分に絵をかく。大きめの絵をかくのがおすすめだよ。

 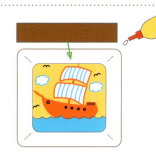 

❷ 絵をかいたトレーのふちにおりがみをはる。上からもようもかいて、がくぶちらしくする。

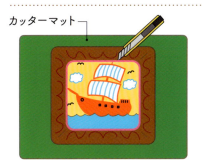  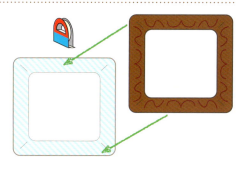

❸ 絵のところを切りぬき、絵とがくぶちにわける。絵の部分をこまかくなりすぎないように切りわける。切りわけるのは6〜12ピースくらいがおすすめだよ。

❹ がくぶちは、もう1まいのトレーにかさねてはる。

絵のピースをはめたところ　よこから見たらこんな感じだよ

❺ がくぶちに絵のピースをはめる。

あそびかた

どこにはまるかな？　　絵が見えてきた！

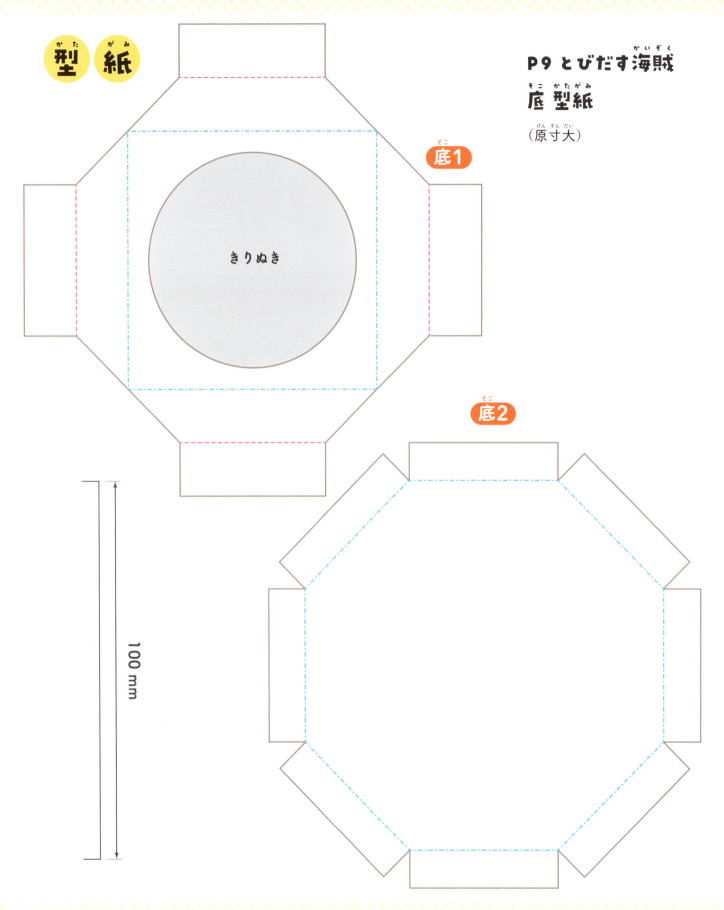

P12 とびだす海賊 ふた型紙
（原寸大）

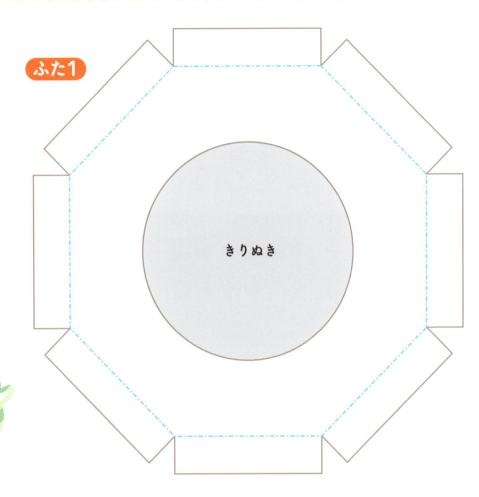

原寸大だから
このままコピーして
使えるよ！
P7を見てね

P13 人形の型紙

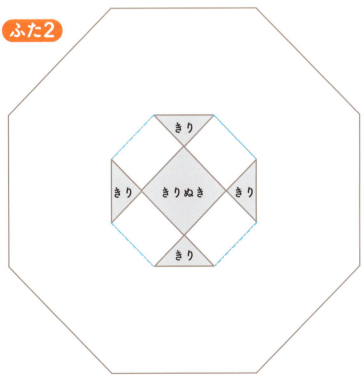

いしかわ☆まりこ

千葉県流山市生まれの造形作家。
おもちゃメーカーにて開発・デザインを担当後、映像制作会社で幼児向けビデオの制作や、
NHK「つくってあそぼ」の造形スタッフをつとめる。
現在はEテレ「ノージーのひらめき工房」の工作の監修（アイデア、制作）を担当中。
工作、おりがみ、立体イラスト、人形など、こどもから大人まで楽しめる作品を中心に、
こども心を大切にした作品をジャンルを問わず発表している。
親子向けや指導者向けのワークショップも開催中。
著書に『5回で折れる もっとたのしい おりがみ』『5回で折れる 季節と行事のおりがみ』『楽しいハロウィン工作』（いずれも汐文社）、『おりがみでごっこあそび』（主婦の友社）、
『カンタン！かわいい！おりがみあそび』（岩崎書店）、『たのしい！てづくりおもちゃ』
『おって！きって！かざろうきりがみ』（ポプラ社）など。

図版作成、作品製作
もぐらぽけっと
写真
安田仁志
デザイン
小沼早苗（Gibbon）

まるで本物！？ あそべる工作
とびだす海賊・モンスターパニックをつくろう

2025年2月　初版第1刷発行

作●いしかわ☆まりこ
発行者●三谷光
発行所●株式会社汐文社
〒102-0071 東京都千代田区富士見 1-6-1
TEL 03-6862-5200　FAX 03-6862-5202
https://www.choubunsha.com

印刷●新星社西川印刷株式会社
製本●東京美術紙工協業組合
ISBN978-4-8113-3181-2